בְּעֶשֶׂר דַקּוֹת

Ten-Minute Hebrew Reader

Written by
Roberta Osser Baum

Illustrated by
Larry Nolte

Behrman House, Inc.

Project Editor: Ruby G. Strauss
Book Design: Itzhack Shelomi
Cover Art: Lane Yerkes

235 Watchung Avenue, West Orange, New Jersey 07052
ISBN: 0-87441-617-5
MANUFACTURED IN THE UNITED STATES OF AMERICA

How to Use This Book

Musicians know how to play their instruments. But even the most accomplished begin each day by practicing scales. Pianists warm up the muscles in their fingers by running them up and down the keyboard. Violinists draw their bows as their fingers press the strings. Then they are ready to play piano sonatas or violin concertos.

Athletes know how to perform their sports. But even professional athletes begin each day by practicing their skills. They warm up their muscles by stretching. They lift weights to strengthen their arms and legs and do breathing exercises to increase their stamina. Then they are ready to play in baseball games or run marathons.

It's the same with Hebrew reading. You know the letters of the *alef bet* and how to read but you need to practice to improve your skills and keep them strong. This book will help you do just that.

At the beginning of a class session, before you begin studying your regular Hebrew textbook, practice your reading. The *Ten-Minute Hebrew Reader* is divided into 22 Reading Workouts. Each one can be completed with your classmates in just ten minutes. Some of the exercises are so useful your teacher may decide to repeat them. Others are so much fun you may want to use the ten minutes to complete only half of the exercise materials and finish the rest at the beginning of your next session. If you take the book home, you can work out there too.

As you complete the exercises in the *Ten-Minute Hebrew Reader*, your reading will become more accurate—you'll make fewer and fewer mistakes. And your speed will increase as you read faster and faster. By the time you finish all 22 workouts you will certainly deserve the Gold Medal on the last page of the book!

Alphabet Warm-Up

Say the name of each Hebrew letter together.
Then sing the Alef Bet Song.

1 א בּ ב ג ד ה

2 ו ז ח ט י כּ כ ך

3 ל מ ם נ ן ס ע פּ פ ף

4 צ ץ ק ר שׁ שׂ תּ ת

Vowel Power

Read each line aloud together.
…mber your teacher calls out.

1 אַ בָּ בַ גֶ דָ הִ

2 וָ זֵ חֶ טוֹ יָ כֶּ כַ

3 לוּ מֶ נָ סוֹ עַ פָּ פָ

4 צַ קִ רוֹ שֶׁ שֶׂ תוּ

Final Letter Aerobics

Divide into two teams.

Team 1 reads the first half of each line and Team 2 finishes the line.

After all six lines have been read, switch.

Team 2 reads the first half and Team 1 finishes the line.

	TEAM 2					TEAM 1		
לֶחֶם	דִים	לָם	1		חֶ	דִי	לְ	1
אָמֵן	תֶן	פֶן	2		מֶ	תֶ	פֶ	2
הָעֵץ	פֵּץ	רֶץ	3		עֵ	פֵּ	רֶ	3
הַגוּף	כַּף	לִיף	4		גוּ	כַּ	לִי	4
מֶלֶךְ	לֶךְ	רוּךְ	5		ל	ל	רוּ	5
יָדֵךְ	מֵךְ	תֵךְ	6		ךְ	מ	תֶ	6

Rowing Exercise

Read the Hebrew sounds aloud together.

Then sing them to the tune of "Row, Row, Row Your Boat."

Now try singing the song as a "round": Half the class sings line 1–4.

The other half begins singing lines 1–4 when the first half reaches line 3.

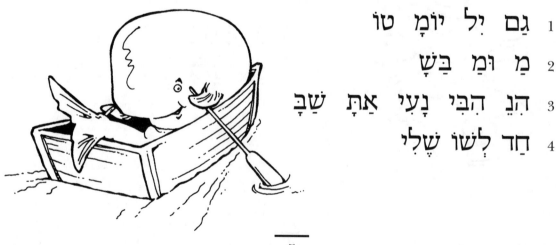

1 גַם יְל יוֹמָ טוֹ

2 מָ וּמָ בַּשָׁ

3 הֵנ הֵבִי נָעִי אַת שָׁב

4 חַד לְשׁוּ שְׁלִי

Resh Dalet Dash

Watch out for the look-alike letters as you read each line aloud together.
Can you read all three lines in 40 seconds?

1 דֶּ רֵ רַ דוֹ רִי רָ דָ דֶ דָ רֵ רִי רוּ

2 רַב דוֹר רָא דוֹשׁ דִיר דָה רָה

3 רַבָּה קָדוֹשׁ וָעֵד דַרְכֵי נִדְרֵי דֶּבֶר דֶּרֶךְ

Pumping Iron

Read each line aloud together to hear the exercise machine.
To really hear the sound of the gym, half the class read lines 1 and 2 and
the other half read lines 3 and 4 at the same time.

1 רָשָׁשׁ דַשָׁשׁ לָדַד רָת

2 דַלָל רָלַל שָׁדָד לַת

3 רָתַת רָתַת רַתַת תַת

4 שָׁלַת דָשָׁל לָשַׁד לַת

Band Practice

Read the Hebrew sounds together to hear the musical instruments. Divide into three groups and take turns reading the lines to make the band play.

1 וּמְגַגַ בּוּם וּמְגַגַ בּוּם וּמְגַגַ וּמְגַגַ בָבַבָ בוּם

2 תוּת תוּת רַתַתָ תַת תֶת תֶת רַתַתָ תַת

3 קְלִינְק קְלַנְק זוּם זוּם קְלִינְק קְלַנְק זוּם שָׁבוּם

Vocal Exercise

Read the words of this Hebrew song together.
Then try singing them.

הִנֵּה מַה טּוֹב וּמַה נָּעִים
שֶׁבֶת אַחִים גַּם יָחַד.

Musical Warm-Up

Sing these sounds together as you climb up the scale.

דוֹ רֵי מִי פַ סוֹ לָ טִי דֹ

Sing those sounds as you go down the scale.

דֹ טִי לָ סוֹ פַ מִי רֵי דוֹ

Hay, Chet, Tav Marathon

Watch out for the look-alike letters as you read each line together.
Now take turns reading the lines.

1 חַ חוֹ הוֹ הֵי הִ חוּ הוּ חֶ חָ הֶ

2 תִ תֵי חֵ תָ חָ הַ תוּ תוֹ תֶ חֶ

3 תָה חַת רָה רָתוֹ חָה חִיל הֶחֱ

4 אַחַת תַּחַת תּוֹרָה תּוֹרָתוֹ אֲנַחְנוּ

5 אַהֲבַת שִׂמְחָה חֲנֻכָּה לְהַתְחִיל שֶׁהֶחֱיָנוּ

Zoo Jog

Read the names of the animals.
Which ones do you recognize?

1 זֶבְּרָה נָמֵר קֶנְגָּרוּ גָּמָל אַרְיֵה

2 בֵּיבָר קוֹף לָמָה נָחָשׁ גוֹרִילָה

Climb the Ladders

Form two teams.
Each team climb up your ladder by reading the words (1–10).
Then climb down (10–1). Now climb up and down the other team's ladder.

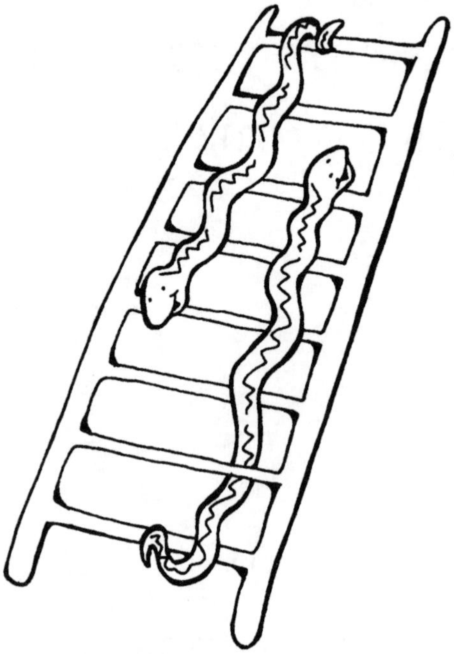

TEAM 2		TEAM 1	
יִשְׂרָאֵל	10	אֱלֹהֵינוּ	10
תְּחִלָּה	9	הַבַּיְתָה	9
שֶׁמֶשׁ	8	קָדֵשׁ	8
אַחַת	7	שָׁלוֹם	7
חֻקִּים	6	מֶלֶךְ	6
בָּרוּךְ	5	סִדּוּר	5
עֶרֶב	4	שְׁמַע	4
שַׁבָּת	3	מְנוּחָה	3
אֶחָד	2	כִּפָּה	2
טוֹב	1	חָזָק	1

Prayer Power

Sing this prayer together.

שְׁמַע יִשְׂרָאֵל יְיָ אֱלֹהֵינוּ יְיָ אֶחָד.

Shin Sin Warm-Up

Watch out for the look-alike letters as you read each line together.

Read a line and then call the name of a classmate.

That person reads the next line, and so on.

Can you read all five lines in 60 seconds?

1   שַׁ שִׁי שֶׁ שֶׁ שְׁ שַׂ שׂוֹ שַׂ שׂוֹ שָׂ שַׂ

2   רֵשׁ שָׁר שַׁב שֵׁשׁ שֵׁשׂ שֵׂשׂ שָׂשׂ שֵׂשׂ

3   שָׂע שָׂמֵ שׂוֹן שִׂים שִׂם שָׂם שֵׂם שָׂלוּ

4   עֹשֶׂה רֹאשׁ שַׂמְתִּי שָׁמַע שָׁלוֹם

5   שָׁלשׁ יִשְׂרָאֵל שֶׁעָשָׂה לַעֲשׂוֹת

Rock Around the Clock

Read the twelve Hebrew numbers.

Read the number your teacher calls out.

Now read the numbers together to see how fast you can count time!

1 אַחַת   2 שְׁתַּיִם   3 שָׁלשׁ   4 אַרְבַּע

5 חָמֵשׁ   6 שֵׁשׁ   7 שֶׁבַע   8 שְׁמוֹנָה

9 תֵּשַׁע   10 עֶשֶׂר   11 אַחַת עֶשְׂרֵה   12 שְׁתֵּים עֶשְׂרֵה

Turn back to the *RESH DALET* DASH on page 6.
Can you read the three lines in 30 seconds?

Enter your time here:

I read the three lines on page 6 in _____ seconds.

Date: _____

Double Jump

Take turns reading two words in a row.

1	חַי חַיִּים	מֶלֶךְ מַלְכֵּנוּ	אֱלֹהֵי אֱלֹהֵינוּ
2	עָלְיָה עוֹלִים	חַג חַגִּים	בָּרוּךְ בְּרָכָה
3	חֶסֶד חֲסָדִים	אָבוֹת אֲבוֹתֵינוּ	קָדוֹשׁ קַדִּישׁ
4	זֵכֶר זִכָּרוֹן	חָכָם חֲכָמִים	יוֹם יָמִים
5	סִדוּר סֵדֶר	נָבִיא נְבִיאִים	צַדִּיק צְדָקָה

Bowl-A-Thon

Divide into three teams.
Team members read each word to knock down the pins.
Read all ten words correctly to score a strike!

ALLEY I

כָּבוֹד 10 מַלְכָּה 9 שַׁבָּת 8 בְּנֵי 7

בּוֹרֵא 6 כֻּלָּנוּ 5 בְּרִית 4

זִכָּרוֹן 3 חֲנֻכָּה 2

וַיִּשְׁבֹּת 1

ALLEY II

כָּתוּב 10 דַּרְכֵי 9 טוֹבִים 8 בָּרְכוּ 7

הַמְבֹרָךְ 6 כָּמֹכָה 5 אָבִינוּ 4

שְׁכָכָה 3 צְבָאָם 2

הַשְּׁבִיעִי 1

ALLEY III

אַהֲבַת 10 מַבּוּל 9 אָבִיב 8 בָּרוּךְ 7

דָּבָר 6 בַּיּוֹם 5 בַּלֵּבָב 4

יְבָרֵךְ 3 אַבְרָהָם 2

בְּרֵאשִׁית 1

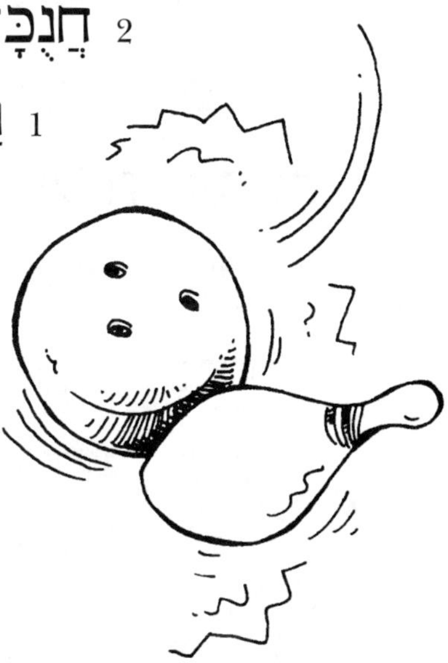

Cheer Your Team

Count off 1-2-3, 1-2-3, and so on around the room.
The 1's are on Team 1, the 2's on Team 2, and the 3's are on
Teams take turns reading their cheer together.
Then give a group cheer by reading the three lines all togeth

מן שָׂשׂוֹן צִיּוֹן אָמֵן

TEAM 2

עֵץ מִיץ אֶרֶץ קִבּוּץ חָמֵץ

TEAM 3

לֶחֶם הַיָּם חַיִּים מִצְרַיִם שָׁמַיִם

Prayer Power

Read this sentence.

עֵץ חַיִּים הִיא לַמַּחֲזִיקִים בָּהּ.

Sing this prayer together.

בָּרְכוּ אֶת יְיָ הַמְבֹרָךְ
בָּרוּךְ יְיָ הַמְבֹרָךְ לְעוֹלָם וָעֶד.

Alef Bet Warm-Up

Read the names of the Hebrew letters.
Read them again faster!

1 אָלֶף בֵּית בֵּית גִּמֶל דָלֶת הֵא

2 וָו זַיִן חֵית טֵית יוֹד כַּף כַף

3 לָמֶד מֵם נוּן סָמֶךְ עַיִן פֵּא פֵא פָא

4 צָדִי קוֹף רֵישׁ שִׁין שִׁין תָּו

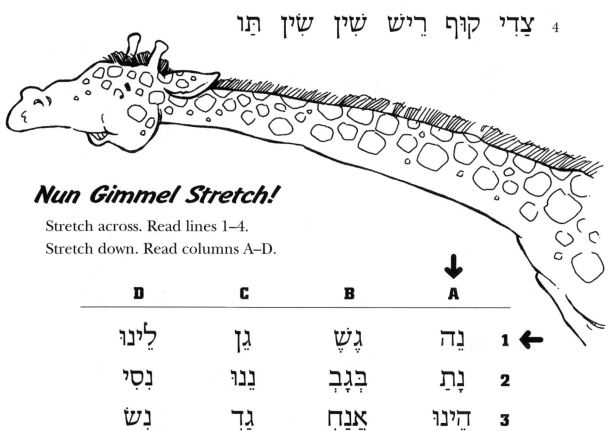

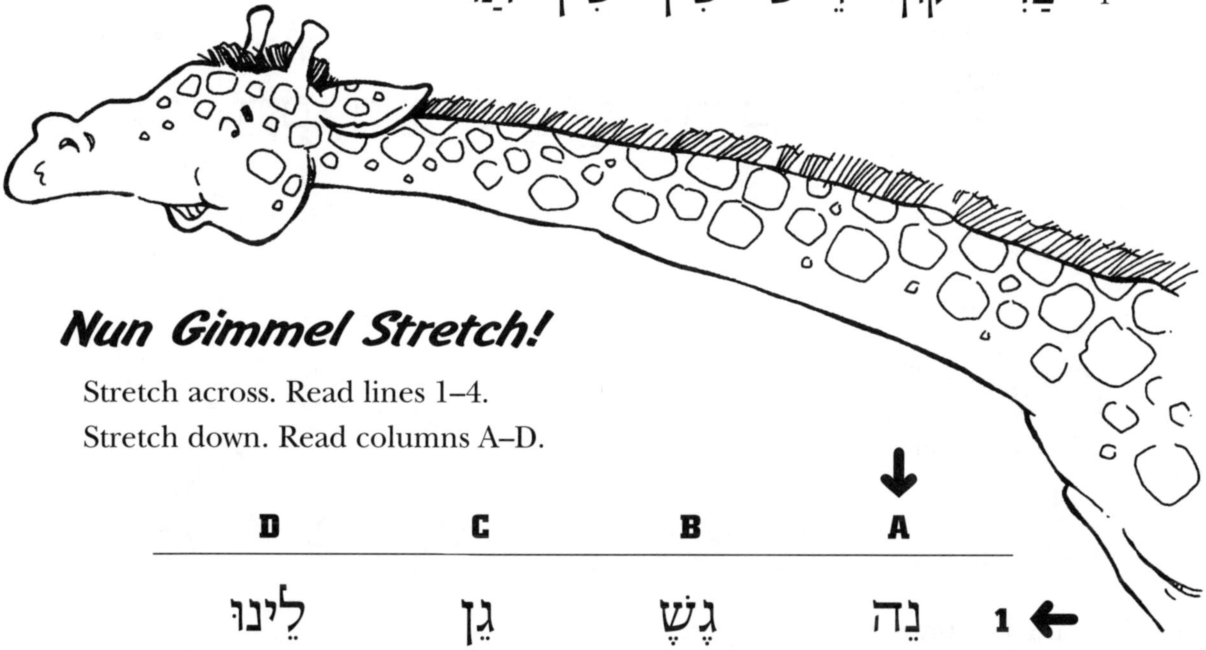

Nun Gimmel Stretch!

Stretch across. Read lines 1–4.
Stretch down. Read columns A–D.

D	C	B	A	
לֵינוּ	גֵן	גֶּשׁ	נֵה	1 ←
נִסִי	גֵנוּ	בְּגֶב	נָת	2
נִשׁ	גַד	אֲנַח	הֵינוּ	3
הַנ	גָב	נוֹד	גָדוֹ	4

Relay Race

There are four words on each line. The first runner reads the first word.
The second runner reads the first and second words. The third runner
reads words 1, 2 and 3, and the fourth reads all four words on the line.

גֶּשֶׁם	נָתַן	נָגִיד	הִנֵּה	1
אֱלֹהֵינוּ	אֲנַחְנוּ	גָּדְלוּ	עָלֵינוּ	2
נִסִּים	גָּדוֹל	נוֹדֶה	מָגֵן	3
אֲדוֹנֵינוּ	נִשְׂגָּב	גִּבּוֹר	לִבְנֵי	4

Cool Down

Read each line.
Then read each line again without taking a breath!

1 מָגֵן אַבְרָהָם

2 אַתָּה הוּא אֲדוֹנֵינוּ

3 שֶׁעָשָׂה נִסִּים לַאֲבוֹתֵינוּ

4 לְדוֹר וָדוֹר נַגִּיד גָּדְלֶךָ

5 הָאֵל הַגָּדוֹל הַגִּבּוֹר וְהַנּוֹרָא

6 אֱלֹהֵינוּ וֵאלֹהֵי אֲבוֹתֵינוּ

Sh'va Warm-Up

Take turns reading the lines.

Can you read all five lines in 45 seconds?

1	לְק	תַּל	מְצ	יְמְ	עְב
2	יְשׁ	שְׁמָ	תֹמְ	אַפְ	בָּב
3	מְק	סַב	נָק	רְגֹ	שֹׁב
4	דַשׁ	דְב	מַפְ	עְמָ	תַכְ
5	הַמְ	לְשׁ	מַל	קֹד	בְּר

Final Letter Cheer

Count off 1-2-3, 1-2-3, and so on around the room.

The 1's are on Team 1, the 2's on Team 2, and the 3's on Team 3.

Teams take turns reading the cheer together.

Then give a group cheer by reading the three lines all together.

TEAM 1

אָלֶף מוֹסָף כֶּסֶף קוֹף גּוּף

TEAM 2

בֶּרֶךְ הוֹלֵךְ דֶּרֶךְ מְבֹרָךְ מֶלֶךְ

TEAM 3

עֵינֶיךָ גָּדְלֶךָ יָדֶךָ עִירְךָ עַמֶּךָ

Word Play

The first player reads the first word-part (קָד).
The second player reads the second word-part (שָׁנוּ).
The third player reads the whole word (קָדְשָׁנוּ).
Continue around the class.

עַמְךָ	ךָ	עַמְ	2	קָדְשָׁנוּ	שָׁנוּ	קָד	1
דְּבָרֵי	רֵי	דְּבָ	4	תַּלְמִיד	מִיד	תַּל	3
מַלְכֵי	כֵי	מַל	6	אֶפְשָׁר	שָׁר	אֶפְ	5
שִׂמְחָה	חָה	שִׂמְ	8	סַבְתָּא	תָּא	סַבְ	7

Turn back to the *SHIN SIN* WARM-UP on page 10.
Can you read the five lines in 50 seconds?

Enter your time here:

I read the five lines on page 10 in _____ seconds.

Date: _____

Prayer Time

Practice reading the ten blessing words together.

בָּרוּךְ אַתָּה יְיָ אֱלֹהֵינוּ מֶלֶךְ הָעוֹלָם
אֲשֶׁר קִדְּשָׁנוּ בְּמִצְוֹתָיו וְצִוָּנוּ

Oh Oo Warm-Up

Watch out for the vowels (וֹ וּ) as you read each line aloud together.
Then take turns reading the lines.
Can you read all four lines in 50 seconds?

1 יוֹם טוֹב תּוֹרָה שָׁלוֹם בּוֹרֵא עוֹלָם הַמּוֹצִיא

2 הוּא צוּר טוֹב לָנוּ בָּנוּ דַּיֵּנוּ אֲנַחְנוּ פּוּרִים

3 גָּדוֹל גּוֹאֵל זוּזִים צִיּוֹן סִדּוּר קָדוֹשׁ קָדוֹשׁ

4 וּבְכָל וּמַה וּדְבַר הוֹדוּ טוֹבוּ מַלְכוּתוֹ אֲדוֹנֵינוּ

Echo Canyon

Half the class is the *Voice*. The other half is the *Echo*.
Voice reads each word-part. *Echo* responds by reading each whole word.
Reverse roles and repeat.

ECHO (Whole Word)	VOICE (Word-Part)	
אֱלֹהַי	לֹהַי	1
סִדּוּר	דּוּר	2
מַה־טֹּבוּ	טֹבוּ	3
מִצְוֹת	צְוֹת	4
שָׁבוּעַ	בוּעַ	5
סֻכּוֹת	סֻכּוֹ	6
צִיּוֹן	יּוֹן	7

Odds & Evens

Count off 1-2, 1-2, and so on around the room.
The 1's read the odd-numbered phrases together.
The 2's read the even-numbered phrases together.
Switch and read once again.

1 אֲדֹנָי שְׂפָתַי תִּפְתָּח

2 עָלֵינוּ לְשַׁבֵּחַ לַאֲדוֹן הַכֹּל

3 בּוֹרֵא מִינֵי מְזוֹנוֹת

4 כֻּלָּנוּ מְסֻבִּין

5 בַּעֲבוּר שְׁמוֹ הַגָּדוֹל

6 עַיִן לְצִיּוֹן צוֹפִיָּה

Tic-Tac-Toe

Read three words in a row (across, down, or diagonally) to score
Tic-Tac-Toe.

דַיֵּנוּ	יָדַיִם	אָדוֹן
מִצְוָה	נוֹתֵן	וָדוֹר
יַחְדָּו	יִצְחָק	דָּוִד

שָׁבוּעַ	וַיְכֻלּוּ	יַעֲקֹב		עֶלְיוֹן	אֱלֹהֵינוּ	לָשׁוֹן
שַׁבָּת	לוּלָב	וְשָׁמְרוּ		נֵרוֹת	שֶׁמֶן	אָנֹכִי
וְיַצִּיב	זִיּוּם	אַהֲבָה		אֶלְפַּן	לְבָנֶיךָ	לְמַעַן

Reading Workout 9

Tongue Twisters

How quickly can you read each line without twisting your tongue? Read a line and then call on a classmate. That person reads the next line, and so on.

1 מָלָךְ מֶלֶךְ מְלָכִים

2 יִמְלֹךְ תִמְלֹךְ וְתִמְלֹךְ

3 מִמֶלֶךְ מַלְכֵי הַמְלָכִים

4 מַלְכוּת מַלְכוּתוֹ מַלְכוּתֶךָ

5 מַלְכָּה מַלְכֵּנוּ מַלְכַּת

A Shabbat Song

Read these words together. Then sing them. Do you know the rest of the song?

1 שָׁלוֹם עֲלֵיכֶם מַלְאֲכֵי הַשָּׁרֵת

2 מַלְאֲכֵי עֶלְיוֹן

3 מִמֶלֶךְ מַלְכֵי הַמְלָכִים

4 הַקָּדוֹשׁ בָּרוּךְ הוּא.

One-On-One

Choose a partner and alternate reading the words on each line.

1	מוֹדָה	אֱלֹהַי	עֶרֶב	שְׁמוֹנֶה	נֶגֶב
2	אֵלֶיךָ	אֶחָד	עֶשֶׂר	דֶרֶךְ	יָדֶךָ
3	לֶאֱכֹל	לְפָנֶיךָ	נֶפֶשׁ	אֱלֹהֶיךָ	אֶרֶץ
4	הַגֶּפֶן	אֱמֶת	עֵינֶיךָ	כֶּסֶף	אוֹהֶבֶת

Team Reading

Count off 1-2, 1-2, and so on around the room.
All the 1's form Team 1. All the 2's form Team 2.
Team 1 reads the odd numbered words (1, 3, 5…).
Team 2 reads the even words (2, 4, 6…).
Then both teams read all 20 words together.

4 דְּבַשׁ	3 גֶּשֶׁם	2 בְּרָכוֹת	1 אָרוֹן
8 חֲנֻכָּה	7 זִכָּרוֹן	6 וֶרֶד	5 הַבְדָּלָה
12 לֶחֶם	11 כֶּתֶר	10 יַיִן	9 טַלִית
16 עַיִן	15 סֻכּוֹת	14 נֵר תָּמִיד	13 מְזוּזָה
20 רוּחַ	19 קֶשֶׁת	18 צִיּוֹן	17 פָּרָשָׁה

Tsadee Ayin Tongue Twisters

Take turns reading each line.
Then read each line together without twisting your tongue!

1   עֲוֹ   עוֹ   צָוֹ   צָוֹ

2   צָוֹ   עֲוֹ   צוֹ   עָוֹ

3   צוֹ   עֲוֹ   עוֹ   צְוֹ

4   עָוֹן   עוֹלָם   מִצְוֹת   רָצוֹן

5   מַצוֹת   בְּמִצְוֹת   עֲוֹנִי   צוֹדֵק

6   מִצְוֹתַי   עֲוֹנָה   בְּמִצְוֹתָיו   מִצְיוֹן

Aerobic Zone

Take turns reading the lines.
Can you read all four lines in 45 seconds?

1   כּוֹסִי   כְּנֶסֶת   מְסַבִּין   סֵפֶר   סְבִיבוֹן   חֶסֶד

2   שִׂמְּחֵנוּ   שָׂשׂוֹן   תָּשִׂים   יַעֲשֶׂה   יִשְׂרָאֵל   שִׂים

3   אֶרֶץ   צִיצַת   חָלוּץ   בֵּיצָה   מַצָה   הַמוֹצִיא

4   אֲזַי   זָהָב   מַזָּל   עוֹזֵר   זֹאת   מָזוֹן

Eye Ahv March

Count off 1-2-3-4-5 to form five groups.
All 1's read line 1 aloud together, all 2's read line 2, and so on.

1 לָ לָי לָיו תָּ תָּי תָּיו דָ דָי דָיו

2 שַׁדַי עָלַי אֲדֹנַי אֱלֹהַי סִינַי

3 דְבָרַי אֲבוֹתַי וּשְׂפָתַי רַבּוֹתַי מִצְוֹתַי

4 עָלָיו עֵינָיו יָדָיו חֲסִדָיו דְבָרָיו

5 פָּנָיו מִצְוֹתָיו בְרַחֲמָיו מַעֲשָׂיו

Lung Power

Read each line aloud without taking a breath!

1 אֱלֹהַי נְצוֹר לְשׁוֹנִי מֵרָע

2 אֲדֹנָי שְׂפָתַי תִּפְתָּח

3 עוֹשֶׂה שָׁלוֹם בִּמְרוֹמָיו

4 אֲשֶׁר קִדְּשָׁנוּ בְּמִצְוֹתָיו וְצִוָּנוּ

Prayer Practice

Take turns reading the four lines.

1 עוֹשֶׂה שָׁלוֹם בִּמְרוֹמָיו

2 הוּא יַעֲשֶׂה שָׁלוֹם

3 עֲלֵינוּ וְעַל כָּל יִשְׂרָאֵל

4 וְאִמְרוּ אָמֵן.

Bet Kaf Karate

Watch out for the look-alike letters as you read each line aloud together.
Then read the line with the number your teacher calls out.

1   בָּ כָּ כֶ בֶ כְ בֵּ בּוֹ כוֹ כִּי בִּי כִּ בׁ כ בוֹ

2   כָּבוֹ כֹּבֶ בָכָ בְּבֵ בְכָ כְּבוֹ כַּבִּי

3   כָּל מִכָּל הַכֹּל בַּלֵּבָב בִּדְבָרוֹ אֲבָל אָכַל

4   בְּבֵית בְּכָל וּבְכָל בָּרְכוּ בָּרְכוּנִי בּוֹאֲכֶם בְּתוֹכֵנוּ

5   כְּבוֹד כָּתוּב כָּבֵד כִּבֵּד כָּמֹכָה כּוֹכָבִים מַכַּבִּי

6   הַבְּרָכָה וּבְרָכָה לִכְבוֹד לְבַבְכֶם בְּנֵיכֶם כְּמַלְכֵּנוּ

Hiking Cheer

This is what kids in Israel shout as they march along.
Read the cheer together.

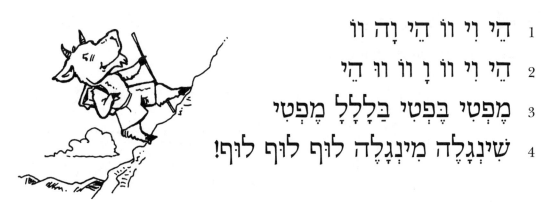

1   הֵי וִי וּו הֵי וְה וּו

2   הֵי וִי וּו רָ וּו וּו הֵי

3   מְפְּטִי בְּפְטִי בַּלְלָל מְפְּטִי

4   שִׁינְגְלֶה מִינְגְלֶה לוּף לוּף לוּף!

Turn back to the *OH OO* WARM-UP on page 18.
Can you read the four lines in 40 seconds?

Enter your time here:

I read the four lines on page 18 in ________ seconds.

Date: ______________________________

Prayer Power

We recite this prayer on the High Holy Days.
Take turns reading the six lines.

1 אָבִינוּ מַלְכֵּנוּ, חַדֵּשׁ עָלֵינוּ שָׁנָה טוֹבָה.

2 אָבִינוּ מַלְכֵּנוּ, כָּתְבֵנוּ בְּסֵפֶר חַיִּים טוֹבִים.

3 אָבִינוּ מַלְכֵּנוּ, כָּתְבֵנוּ בְּסֵפֶר גְּאֻלָּה וִישׁוּעָה.

4 אָבִינוּ מַלְכֵּנוּ, כָּתְבֵנוּ בְּסֵפֶר סְלִיחָה וּמְחִילָה.

5 אָבִינוּ מַלְכֵּנוּ, שְׁמַע קוֹלֵנוּ.

6 אָבִינוּ מַלְכֵּנוּ, קַבֵּל בְּרַחֲמִים וּבְרָצוֹן אֶת־תְּפִלָּתֵנוּ.

Wake Up!

Here's what animals sound like when they wake up each morning.
Read the animal sounds together. Then read the word with the number
your teacher calls out.

5	4	3	2	1
הָיָה	מִיאָעוּ	בַּבּ	רוֹר	מוּ

9	8	7	6
קַקְדֶּלְדּוּ	הוּא	גַּבֶּל גַּבֶּל	הָיש

Relay Race

One student reads the first word-part (לַזְ).
The next student reads the second word-part (מַן).
The third student reads the whole word (לַזְמַן).
Continue around the room with each new word set.
Repeat the relay and try to read faster.

.2			.1		
יְמְלֹךְ לֹךְ יְמְ			לַזְמַן מַן לַזְ		
.4			.3		
מִשְׁכָּן כָּן מִשׁ			מִצְוָה וָה מִצְ		
.6			.5		
וּבְטוּבוֹ טוּבוֹ וּבְ			לְפָנַי נַי לִפְ		
.8			.7		
יִהְיֶה יֶה יִהְ			לִקְבֹּעַ בֹּעַ לִקְ		
.10			.9		
חַסְדוֹ דוֹ חַסְ			מִקְדָּשׁ דָּשׁ מִקְ		
.12			.11		
מַלְכֵּנוּ כֵּנוּ מַלְ			מִזְמוֹר מוֹר מִזְ		

Stretch!

Stretch across. Read lines 1–4.
Stretch down. Read columns A–E.

E	D	C	B	A	
יִמְלֹךְ	קֹדֶשׁ	לַעֲשׂוֹת	מְזוֹנוֹת	כָּמֹכָה	1
מְסִבִּין	וְשָׁמְרוּ	וַיְכֻלּוּ	כֻּלָּנוּ	חַיֵּינוּ	2
מַלְכוּתוֹ	בּוֹקֵעַ	בְּחֻקֶּיךָ	לְדֹרֹתָם	סֻכּוֹת	3
תִּרְדּוֹף	יְרוּשָׁלַיִם	אָדוֹן	בִּקְדֻשָּׁתוֹ	וּבְקוּמֵנוּ	4

Prayer Power

Read the prayer together.

1 מִי כָמֹכָה בָּאֵלִם יְיָ

2 מִי כָּמֹכָה נֶאְדָּר בַּקֹּדֶשׁ

3 נוֹרָא תְהִלֹּת

4 עֹשֵׂה פֶלֶא.

Vocal Exercise

Read the Hebrew sounds together.
Then try singing them to the tune of "Twinkle, Twinkle, Little Star."

1 שׁוּ שָׁ שָׁר שָׁ לָ לָשׁוֹ

2 יִשׁ שֶׁ נָ שָׁ שׁוֹ שִׁבָּ

3 שִׁי רָ שֵׁ שֶׁ עָ שָׁ שֵׁם

4 שׁוּ עָ שָׁ שׁוֹ בָּ הַשָׁ

5 יוֹ צֵ אוֹ בוֹ רֵ בוֹרֵ

6 שָׁ לוֹ הַ כֹּ אֶת הַכֹּל

Now take turns reading the words of a real Hebrew song.
Can you sing it?

1 וּשְׁאַבְתֶּם מַיִם בְּשָׂשׂוֹן מִמַּעַיְנֵי הַיְשׁוּעָה.

2 מַיִם, מַיִם, מַיִם, מַיִם, הוֹי, מַיִם בְּשָׂשׂוֹן.

3 הֵי, הֵי, הֵי, הֵי,

4 מַיִם, מַיִם, מַיִם, מַיִם, מַיִם בְּשָׂשׂוֹן.

Low Impact Aerobics

Divide into two teams.

Team 1 reads the first half of each line and Team 2 finishes the line.

After all four lines have been read, Team 2 reads the first half and Team 1 finishes the line.

	TEAM 2				TEAM 1		
עֹשֶׁר	חֹשֶׁךְ	מֹשֶׁה	1	עָשׁ	חָשׁ	מָשׁ	1
לִפְרשׁ	לִלְבֹּשׁ	קָדֵשׁ	2	רָשׁ	בָּשׁ	דָשׁ	2
קָדָשִׁים	חֹשֶׁת	שָׁלֹשׁ	3	דָשִׁי	חָשׁ	לָשׁ	3
כְּמֹשֶׁה	שְׁלֹשֶׁת	יוֹשֶׁבֶת	4	מָשׁ	לָשׁ	יוֹשׁ	4

Prayer Power

Read the blessings said when lighting candles.

Do you know the occasion on which each blessing is recited?

1. בָּרוּךְ אַתָּה יְיָ אֱלֹהֵינוּ מֶלֶךְ הָעוֹלָם
   אֲשֶׁר קִדְּשָׁנוּ בְּמִצְוֹתָיו וְצִוָּנוּ

2. לְהַדְלִיק נֵר שֶׁל שַׁבָּת

3. לְהַדְלִיק נֵר שֶׁל יוֹם טוֹב

4. לְהַדְלִיק נֵר שֶׁל יוֹם הַכִּפּוּרִים

5. לְהַדְלִיק נֵר שֶׁל חֲנֻכָּה

Reading Workout 14

Pay Fay Warm-Up

Read lines 1–6 aloud together.
Can you read all 6 lines together in 55 seconds?

1 פֶּה פִּיוֹת פֶּרַח פְּרִי פְּרָחִים

2 פֶּנַק כִּפָּה חֻפָּה אַפַּיִם מִתְפַּלֵּל

3 פְּנֵי פַּעַם לְהִתְפַּלֵּל הַפּוֹרֵשׁ מִשְׁפָּטִים

4 יָפֶה נֶפֶשׁ תְּפִלָּתִי תְּפִילוֹת אֵיפֹה

5 אֶפְשָׁר אוֹפֶה לִפְנֵי הַגָּפֶן דֹּפֶק

6 נַפְשְׁךָ נִפְלָא כְּפִיר שׁוֹפֵט תְּפִילִין

Lung Power

Read aloud all three lines without taking a breath.

1 בּוֹרֵא פְּרִי הַגָּפֶן

2 בּוֹרֵא פְּרִי הָעֵץ

3 בּוֹרֵא פְּרִי הָאֲדָמָה

Counting Race

All together count from 1–10. First count in English and then count by reading the Hebrew words. Read the Hebrew word next to the English number your teacher calls out.

6	שֵׁשׁ		1	אַחַת
7	שֶׁבַע		2	שְׁתַּיִם
8	שְׁמוֹנָה		3	שָׁלֹשׁ
9	תֵּשַׁע		4	אַרְבַּע
10	עֶשֶׂר		5	חָמֵשׁ

Who Knows One?

These lines are from a Passover counting song.
Read the line with the number your teacher calls out.

6	שִׁשָּׁה סִדְרֵי מִשְׁנָה		1	אֶחָד אֱלֹהֵינוּ
7	שִׁבְעָה יְמֵי שַׁבְּתָא			שֶׁבַּשָּׁמַיִם וּבָאָרֶץ
8	שְׁמוֹנָה יְמֵי מִילָה		2	שְׁנֵי לֻחוֹת הַבְּרִית
9	תִּשְׁעָה יַרְחֵי לֵידָה		3	שְׁלֹשָׁה אָבוֹת
10	עֲשָׂרָה דִבְּרַיָא		4	אַרְבַּע אִמָּהוֹת
			5	חֲמִשָּׁה חֻמְשֵׁי תוֹרָה

Vowel Cheer

Divide the class into 4 squads of cheerleaders. Each squad take turns cheering by reading the sounds on the 4 lines. Then all 4 squads cheer at the same time!

1	אָי	אִי	אוֹ	אֶ	אָ	
2	אוֹי	אֶי	אוֹ	אֶ	אַ	
3	אִי	אֹ	אָ	אֶ	אֹ	
4	אִיו	אֹ	אוֹ	אֶ	אֹ	

Try cheering with these Hebrew words.

עוּצוּ עֵצָה וְתֻפָר

דַּבְּרוּ דָבָר וְלֹא יָקוּם

כִּי עִמָּנוּ אֵל

Roll Call

Each one choose a Hebrew name and read it aloud. Is your name on the list?

BOYS

1 יוֹאֵל   דָוִד   אוּרִי   זְאֵב   לֵוִי

2 יוֹסִי   שִׁמְעוֹן   יַעֲקֹב   מֹשֶׁה   יוֹסֵף

GIRLS

1 מִרְיָם   אֶסְתֵּר   לֵאָה   דִינָה   רוּת

2 שָׂרָה   דְבוֹרָה   רָחֵל   חַנָה   רִבְקָה

Sing a Hebrew song about דָוִד, a king of Israel.

דָוִד מֶלֶךְ יִשְׂרָאֵל חַי חַי וְקַיָם.

Jump Rope

Each player jump by reading 2 words in a row.

1 שָׁמַע שָׁכֵן שֹׁרֶשׁ שָׁגַג

2 שָׁטָה שָׂרַד שִׁפְטֵי שֶׁבֶר

3 קוֹל יְיָ שֹׁבֵר אֲרָזִים

4 מִצִיוֹן שֹׁכֵן יְרוּשָׁלַיִם הַלְלוּיָה

Jump again with this new set of words.

5 עָשָׂה פֵּשֶׁר אִשָּׁה סִסָּה

6 נָשָׂא עֲשִׂי גֶשֶׁר עָשָׂה

7 נוֹרָא תְהִלַּת עֹשֶׂה פֶלֶא

8 בָּא יָבֹא בְּרִנָה נֹשֵׂא אֲלֻמֹתָיו

Ach Warm-Up

Take turns reading the words.

1 נְזַבֵּחַ שׁוֹלֵחַ הַמְנַבֵּחַ סוֹלֵחַ הַמִּזְבֵּחַ

2 מְשַׂמֵּחַ מַטְבֵּחַ לְהָנִיחַ לְשַׁבֵּחַ וּמַצְמִיחַ

Holiday Song

Read the words of this Ḥanukkah song together.
Then sing them.

1 מָעוֹז צוּר יְשׁוּעָתִי

2 לְךָ נָאֶה לְשַׁבֵּחַ

3 תִּכּוֹן בֵּית תְּפִלָּתִי

4 וְשָׁם תּוֹדָה נְזַבֵּחַ

5 לְעֵת תָּכִין מַטְבֵּחַ

6 מִצָּר הַמְנַבֵּחַ

7 אָז אֶגְמוֹר בְּשִׁיר מִזְמוֹר

8 חֲנֻכַּת הַמִּזְבֵּחַ

Double Sh'va Relay

One student reads the first word-part (נָפְ).
The next student reads the second word-part (שְׁךָ).
Then the third student reads the whole word (נָפְשְׁךָ).
Continue around the room with each new word set.
Repeat the relay getting faster each time!

תִּזְכְּרוּ	כְּרוּ	תִּז	2.	נַפְשְׁךָ שְׁךָ נָפְ	1.
חַסְדְּךָ	דְּךָ	חַס	4.	יִשְׂמְחוּ מְחוּ יִשְׂ	3.
כְּמִשְׁפָּחוֹת	פָּחוֹת	כְּמִשְׁ	6.	יִלְמְדוּ מְדוּ יִלְ	5.
תִּשְׁמְרוּ	מְרוּ	תִּשְׁ	8.	נַפְשְׁכֶם שְׁכֶם נַפְ	7.
בְּשִׁבְתְּךָ	תְּךָ	בְּשִׁבְ	10.	קָדְשְׁךָ שְׁךָ קָדְ	9.
וּבְשָׁכְבְּךָ	בְּךָ	וּבְשָׁכְ	12.	וּבְלֶכְתְּךָ תְּךָ וּבְלֶךְ	11.

Overlap

There are three words on each line. The first player reads the first word.
The next player reads words 1 and 2. The next player reads words 1, 2,
and 3.

1 מְאֹדֶךָ נַפְשְׁךָ לְבָבְךָ

2 וּבְלֶכְתְּךָ בְּבֵיתֶךָ בְּשִׁבְתְּךָ

3 וּבְקוּמֶךָ וּבְשָׁכְבְּךָ בַּדֶּרֶךְ

4 וַעֲשִׂיתֶם תִּזְכְּרוּ לְמַעַן

Noo Warm-Up

Take turns reading the words.

1   אֱלֹהֵינוּ   אֲבוֹתֵינוּ   עָלֵינוּ   אֲדוֹנֵינוּ

2   בָּרְכֵנוּ   מַלְכֵּנוּ   זִכְרוֹנֵנוּ   נוֹטְרֵנוּ

Prayer Power

Read the ten lines together. Read the line with the number your teacher calls out. Then sing together.

אֵין כַּאדוֹנֵינוּ	אֵין כֵּאלֹהֵינוּ 1
אֵין כְּמוֹשִׁיעֵנוּ	אֵין כְּמַלְכֵּנוּ 2
מִי כַאדוֹנֵינוּ	מִי כֵאלֹהֵינוּ 3
מִי כְמוֹשִׁיעֵנוּ	מִי כְמַלְכֵּנוּ 4
נוֹדֶה לַאדוֹנֵינוּ	נוֹדֶה לֵאלֹהֵינוּ 5
נוֹדֶה לְמוֹשִׁיעֵנוּ	נוֹדֶה לְמַלְכֵּנוּ 6
בָּרוּךְ אֲדוֹנֵינוּ	בָּרוּךְ אֱלֹהֵינוּ 7
בָּרוּךְ מוֹשִׁיעֵנוּ	בָּרוּךְ מַלְכֵּנוּ 8
אַתָּה הוּא אֲדוֹנֵינוּ	אַתָּה הוּא אֱלֹהֵינוּ 9
אַתָּה הוּא מוֹשִׁיעֵנוּ	אַתָּה הוּא מַלְכֵּנוּ 10

Turn back to the *PAY FAY* WARM-UP on page 30.
Can you read the six lines in 45 seconds?

Enter your time here:

I read the six lines on page 30 in ________ seconds.

Date: ______________________________

Desert Hike

Take turns reading the lines. Read the word דַּיֵּנוּ together.

1 אִלּוּ הוֹצִיאָנוּ מִמִּצְרַיִם

2 וְלֹא־עָשָׂה בָהֶם שְׁפָטִים, **דַּיֵּנוּ.**

3 אִלּוּ הֶאֱכִילָנוּ אֶת־הַמָּן

4 וְלֹא־נָתַן לָנוּ אֶת־הַשַּׁבָּת, **דַּיֵּנוּ.**

5 אִלּוּ נָתַן לָנוּ אֶת־הַשַּׁבָּת

6 וְלֹא־קֵרְבָנוּ לִפְנֵי הַר־סִינַי, **דַּיֵּנוּ.**

7 אִלּוּ קֵרְבָנוּ לִפְנֵי הַר־סִינַי

8 וְלֹא־נָתַן לָנוּ אֶת הַתּוֹרָה, **דַּיֵּנוּ.**

Tzadee Ayin Warm-Up

Take turns reading the five lines.
Sing the Hebrew sounds together to the tune of "She'll Be Coming
Round the Mountain."

1 עֲעַ צוּעוּ עֶצָ צוּצְ עֲצִי
2 צַעְצְ עֲצִי צוּצוּ עֶצְ צַעְי
3 עֵינִי צְוּ עֲי צְוָ
4 צוּפ צִיוּ צֶנוּ צִיאַ
5 עטַע עוֹלְ רְצֶ עַם עֶנְ עֲמוּ

Chet Tav Stretch

Stretch across. Read lines 1–4.
Stretch down. Read columns A–E.

E	D	C	B	A ↓	
חָמֵשׁ	אֲחֵרִים	לֶחֶם	חַלָּה	אֶחָד	1 ←
גְּוִיָּתִי	אֱמֶת	בֵּיתֶךָ	תַּעֲנֶה	תּוֹרָה	2
תִּגְנֹב	חֹשֶׁךְ	חַיִּים	תִּרְצָח	בְּרֵאשִׁית	3
וַעֲשִׂיתֶם	תַּחְמֹד	אֲבוֹתֵינוּ	שֶׁהֶחֱיָנוּ	חַסְדְּךָ	4

Mountain Climb

Take turns reading each of the Ten Commandments.

1 אָנֹכִי יְיָ אֱלֹהֶיךָ

I am Adonai, your God.

2 לֹא יִהְיֶה לְךָ אֱלֹהִים אֲחֵרִים עַל פָּנָי

You shall have no other gods besides Me.

3 לֹא תִשָּׂא אֶת שֵׁם יְיָ אֱלֹהֶיךָ לַשָּׁוְא

You shall not take the name of Adonai your God in vain.

4 זָכוֹר אֶת יוֹם הַשַּׁבָּת לְקַדְּשׁוֹ

Remember the Sabbath day to keep it holy.

5 כַּבֵּד אֶת אָבִיךָ וְאֶת אִמֶּךָ

Honor your father and your mother.

6 לֹא תִּרְצָח

You shall not murder.

7 לֹא תִּנְאָף

You shall not commit adultery.

8 לֹא תִּגְנֹב

You shall not steal.

9 לֹא תַעֲנֶה בְרֵעֲךָ עֵד שָׁקֶר

You shall not bear false witness against your neighbor.

10 לֹא תַחְמֹד בֵּית רֵעֶךָ

You shall not covet your neighbor's house.

Vav Zayin Relay Race

Take turns reading the words.
Can you read all 4 lines in 40 seconds?

1 אֲזַי וְצִוָּנוּ וְזֹאת מָזוֹן

2 וְזִמְרָת מְזוּזָה חָזָק קִוִּינוּ

3 וֶעֱזוּז זִכָּרוֹן מְזוֹנוֹת גְוִיָּתִי

4 בַּזְמַן זִכְרוֹנֵנוּ כָּוָנָה אֲרָזִים

5 הַזָּן רַעֲוָא זֵכֶר וּמִשְׁתַּחֲוִים

Basketball

Read a line and then pass the ball by calling the name of another player.
That player reads the next line, and so forth.

1 וְזוֹכֵר חַסְדֵי אָבוֹת

2 וְעִם רוּחִי גְוִיָּתִי

3 אֱמֶת מַלְכֵּנוּ אֶפֶס זוּלָתוֹ

4 וְהִשְׁתַּחֲווּ לַהֲדֹם רַגְלָיו

5 מֶלֶךְ עוֹזֵר וּמוֹשִׁיעַ וּמָגֵן

6 וּמֵכִין מָזוֹן לְכָל בְּרִיּוֹתָיו אֲשֶׁר בָּרָא

Voh Weight Lift

Read the two lines aloud together. Then take turns reading each word.

מִצְוֹת עָוֹן רָצוֹן אַרְצוֹת מִצְוֹתַי 1

מַצוֹת עֲוֹנָתִי מְצוֹרָע בְּמִצְוֹתָי בְּמִצְוֹתָיו 2

World Tour

Find your way around the world by reading the Hebrew name
of each city.

11 פִילָדֶלְפִיָה		1 לוֹנְדוֹן
12 הָבָנָה		2 נִיוּ־יוֹרְק
13 סַן־פְרַנְסִיסְקוֹ		3 תֵּל־אָבִיב
14 דֶנְבֶר		4 פָּרִיז
15 שִׁיקָגוֹ		5 אַמְשְׁטֶרְדָם
16 אַטְלַנְטָה		6 מֶקְסִיקוֹ סִיטִי
17 יְרוּשָׁלַיִם		7 לָאס וֶאגָס
18 אֵילַת		8 בּוֹסְטוֹן
19 בֶּרְלִין		9 חֵיפָה
20 לֶנִינְגְרַד		10 הוֹנְג קוֹנְג

Reading Workout 20

Tet Mem Soccer

Take turns reading the words on each line.

1 טֹבוּ הַמְדַבֵּר שֶׁבָּטְחוּ מִצְרַיִם מַעֲרִיב

2 הֵיטִיבָה הַמַּמְלָכָה נְטִילַת הָעַמִּים בָּטָחְנוּ

3 אֵין אָנוּ מַטְבִּילִין וּמֵטִיב לַכֹּל וּמֵכִין מָזוֹן

4 שַׂבְּעֵנוּ מִטּוּבֶךָ אוֹתָנוּ לְמַדְּתָּ חֻקִּים וּמִשְׁפָּטִים

Samech Final Mem Baseball

Read the four lines aloud together.
Then take turns reading each line.
Read all four lines without a mistake to hit a home run!

1 פְּעָמִים עֲרָבִים אֶפֶס בְּשָׁמַיִם וּמְפַרְנֵס

2 מְסַבִּין רַחֲמִים הַסּוּס אֱלֹהִים סוֹמֵךְ

3 וּמַתִּיר אֲסוּרִים גּוֹמֵל חֲסָדִים טוֹבִים
שֶׁעָשָׂה נִסִּים לַאֲבוֹתֵינוּ

4 וְעַל גְּמִילוּת חֲסָדִים אֵל זָן וּמְפַרְנֵס לַכֹּל

The Four Questions

Take turns reading the questions we ask at the Passover seder.

1 מַה נִּשְׁתַּנָּה הַלַּיְלָה הַזֶּה מִכָּל הַלֵּילוֹת?
שֶׁבְּכָל הַלֵּילוֹת אָנוּ אוֹכְלִין חָמֵץ וּמַצָּה
הַלַּיְלָה הַזֶּה כֻּלּוֹ מַצָּה.

2 שֶׁבְּכָל הַלֵּילוֹת אָנוּ אוֹכְלִין שְׁאָר יְרָקוֹת
הַלַּיְלָה הַזֶּה מָרוֹר.

3 שֶׁבְּכָל הַלֵּילוֹת אֵין אָנוּ מַטְבִּילִין
אֲפִלּוּ פַּעַם אֶחָת
הַלַּיְלָה הַזֶּה שְׁתֵּי פְעָמִים.

4 שֶׁבְּכָל הַלֵּילוֹת אָנוּ אוֹכְלִין
בֵּין יוֹשְׁבִין וּבֵין מְסֻבִּין
הַלַּיְלָה הַזֶּה כֻּלָּנוּ מְסֻבִּין.

Reading Workout 21

Samech Sin Warm-Up

Watch out for the letters that sound the same as you read the four lines aloud together. Then take turns reading the lines.

1 חֶסֶד כּוֹסִי שְׂמֵחִים פַּרְנָסָה שָׂשׂוֹן

2 יִשְׂרָאֵל מָאֲסוּ מִתְנַשְּׂאִים יִסֹּב מְשׂוֹשׂ

3 לֵישֵׁב בַּסֻּכָּה קוֹל שָׂשׂוֹן וְקוֹל שִׂמְחָה
וְהוּא נִסִּי וּמָנוֹס לִי

4 עַמְּךָ יִשְׂרָאֵל וּנְסַפֵּר תְּהִלָּתֶךָ

One-On-One

Choose a partner and alternate reading the words on each line.

1 שֶׁעָשָׂה מְלַאכְתּוֹ תְּהִלָּה לַעֲשׂוֹת בְּאַהֲבָה

2 אֱמֶת נוֹטֶה הוֹצֵאתִי הָאֲדָמָה וְאָהַבְתָּ

3 עֶרֶב הַחֲבוּרָה מִצְוָה מְאֹדֶךָ מוֹעֲדֵי נֶהֱגֶה

4 הַלַּיְלָה רֹאשׁ בְּרָכָה בְּרֵאשִׁית וַעֲשִׂיתֶם אֱלֹהֵי

5 בְּתִפְאָרָה הַמַּעֲרִיב לְמִקְרָאֵי וַיֹּאמֶר יַעֲקֹב

Turn back to the *VAV ZAYIN* RELAY RACE on page 40.
Can you read the five lines in 30 seconds?
Enter your time here:

I read the five lines on page 40 in ________ seconds.

Date: ______________________________

Prayer Power

Take turns reading the seven blessings. The first student reads the first one, the next student the second, and so on around the room. Continue until everyone has a chance to read a blessing.

1 בָּרוּךְ אַתָּה יְיָ אֱלֹהֵינוּ מֶלֶךְ הָעוֹלָם אֲשֶׁר קִדְּשָׁנוּ
בְּמִצְוֹתָיו וְצִוָּנוּ לְהַדְלִיק נֵר שֶׁל שַׁבָּת.

2 בָּרוּךְ אַתָּה יְיָ אֱלֹהֵינוּ מֶלֶךְ הָעוֹלָם בּוֹרֵא פְּרִי הַגָּפֶן.

3 בָּרוּךְ אַתָּה יְיָ אֱלֹהֵינוּ מֶלֶךְ הָעוֹלָם הַמּוֹצִיא
לֶחֶם מִן הָאָרֶץ.

4 בָּרוּךְ אַתָּה יְיָ אֱלֹהֵינוּ מֶלֶךְ הָעוֹלָם אֲשֶׁר קִדְּשָׁנוּ
בְּמִצְוֹתָיו וְצִוָּנוּ לַעֲסוֹק בְּדִבְרֵי תוֹרָה.

5 בָּרוּךְ אַתָּה יְיָ אֱלֹהֵינוּ מֶלֶךְ הָעוֹלָם שֶׁהֶחֱיָנוּ וְקִיְּמָנוּ
וְהִגִּיעָנוּ לַזְּמַן הַזֶּה.

Yud Marathon

Take turns reading the seven lines.

אִי אֵי אַי אָי אֶי אוּי אֹי 1

חַיִל כִּי תָיו לִיצִי מָתַי תֶיהָ 2

בְּנֵי רָאוּי עָלַי טִיךְ בָּאִי וִימֵי 3

יוֹם וַי יָם וַיִשְׁ לִיו יָד 4

יֶה אִי נָים יַע יְהֵא יִשְׁ 5

חַיֵי יְהִי יָדִי חַיִּים יְמִין יֶיךְ 6

יַגִּיד יְמֵי יָחִיד יוֹתִי יֵינָה יוֹשִׁי 7

The Finish Line

Read the ten phrases aloud together.

יוֹם הַשִּׁשִׁי 2   וַיְהִי עֶרֶב וַיְהִי בֹקֶר 1

וַיְכַל אֱלֹהִים 4   אֱלֹהֵי יִצְחָק וֵאלֹהֵי יַעֲקֹב 3

וַיְבָרֶךְ אֱלֹהִים 6   וַיִּשְׁבֹּת בַּיוֹם הַשְּׁבִיעִי 5

וְעִם רוּחִי גְוִיָּתִי 8   וּפִי יַגִּיד תְּהִלָּתֶךָ 7

יִשָּׂא יְיָ פָּנָיו אֵלֶיךָ 10   עַל יַד בֶּן יִשַׁי בֵּית הַלַחְמִי 9

Word Score

Read the word with the number your teacher calls out.
Do you know the English meaning of each word?

3	נֵרוֹת	2	כִּפָּה	1	שׁוֹפָר
6	מְגִלָּה	5	סֻכָּה	4	מְזוּזָה
9	טַלִּית	8	יַיִן	7	תּוֹרָה
12	חַלָּה	11	סִדּוּר	10	מַצָּה
15	חֲנֻכִּיָּה	14	נֵר תָּמִיד	13	סְבִיבוֹן

Prayer Power

Read five lines from the prayer we sing when the Torah is returned to the Ark.

1 עֵץ חַיִּים הִיא

2 לַמַּחֲזִיקִים בָּהּ

3 וְתֹמְכֶיהָ מְאֻשָּׁר

4 דְּרָכֶיהָ דַרְכֵי־נֹעַם

5 וְכָל־נְתִיבוֹתֶיהָ שָׁלוֹם

Gold Medal

For Accurate and Fluent Hebrew Reading

Awarded to

____

(STUDENT'S NAME)

By

____

(TEACHER'S NAME)

On

____

(DATE)